大象

（意）娜迪娅·格拉迪/文　　（意）切西尼娅·马卡/图　张懿/译

时代出版传媒股份有限公司
安徽少年儿童出版社

今天，草原上有一件喜事：

有只一百多千克重的小象出生了！

他叫雨果，是班格的儿子。

不过，他永远也不会知道爸爸是谁，因为成年雄象是不能待在象群里的。

来庆祝他出生的，都是姐姐、姑姑或婶婶，还有奶奶们。

她们用长鼻子轻抚着他，帮助他站起来。

刚学会自己站起来，雨果就得跟着象群走动。

可他太困了，不停地躺倒在地上，大家只好等他醒来再出发。

瞪羚毫不畏惧地看着这些草原上最大的动物，他们知道大象从不轻易攻击别的动物。

当然，也没有谁会攻击大象。当他们下河喝水时，就连鳄鱼也不敢靠近。

　　不过，大家都很留心照顾雨果，妈妈总用长尾巴牵着他走。

　　"走啊，别害怕，妈妈在这儿呢！"

和其他食草动物在一起时，雨果没有危险。

不过，当妈妈给他喂奶时，大家从不会走远。

雨果还没学会用鼻子扯草吃，但他已经知道，想喝妈妈的奶时，要把鼻子向上卷起来。

他很快就学会用自己的鼻子了，就好像那是一根吸管。

他用鼻子吸上好多水，然后喷进嘴里。妈妈也好好地洗了个澡。

幸亏水很充足。因为大象跟长颈鹿不一样，长颈鹿可以一连好几个星期不喝水，大象却每天都得找条河或是水洼喝水才行。

旱季来临时，能吃的草也变得越来越少。

不必担心！大象们正朝森林进发。

妈妈那么强壮，她能用鼻子把树枝折断，雨果第一次尝到了叶子的味道。

不过，要是水不够的话，麻烦就大了。

　　虽然在烂泥里打滚、把泥巴喷到身上确实很好玩，但要想把吸附在皮肤上、不停叮咬他们的寄生虫甩掉，水是必不可少的。

天气越来越热，水和食物越来越难找。

对狮子来说则完全不一样，只要他们跑得够快，就一定能找到吃的。

有时候，大象们会碰到一只非常饥饿的狮子。这时，象妈妈就会愤怒地挥扇着耳朵，发出可怕的吼声吓跑狮子。

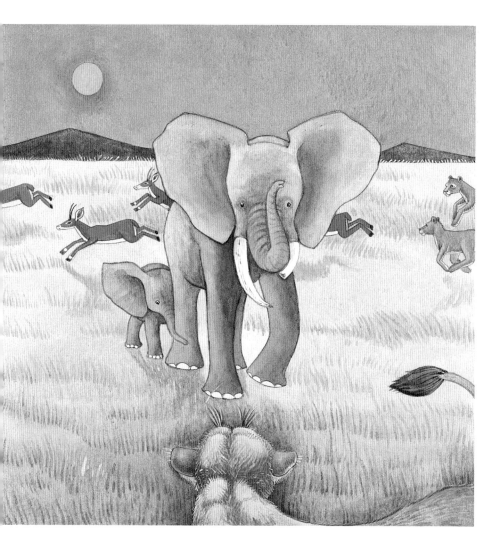

这样的日子可真够累的。

　　总算到了睡觉的时间，雨果躺到了表兄身边，妈妈和阿姨则靠在一棵树边站着睡。

　　这个夜晚充满了响亮的呼噜声。

草原上传来了格斗声。

奇怪！一般来说，大象们从不争吵。

原来是雨果在跟表兄格斗。

"我是最强壮的！"雨果吼叫着。

他们的象牙看上去就像两把锋利的弯刀。

"雨果已经快十二岁了。他该像其他雄象一样，离开象群，去过自己的生活了。"班格微笑地看着自己的儿子。